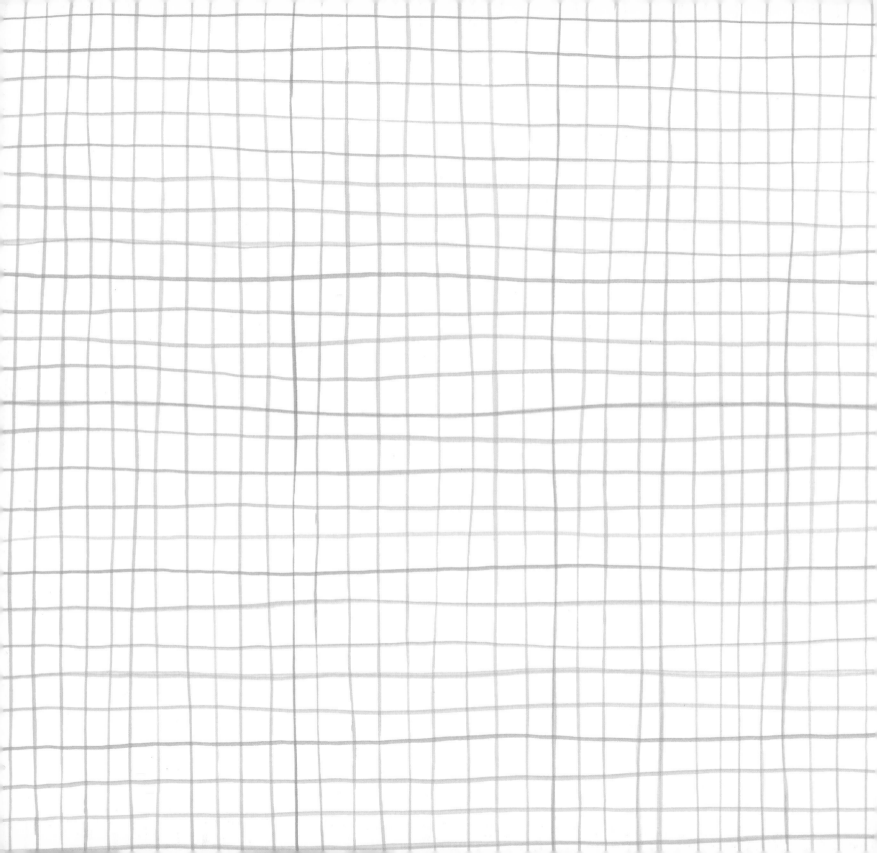

Pour Marion et Marion

ISBN : 978-2-211-08463-5

© 2005, l'école des loisirs, Paris
Loi numéro 49 956 du 16 juillet 1949 sur les publications
destinées à la jeunesse : septembre 2005
Dépôt légal : mai 2007
Imprimé en France par Aubin Imprimeur à Poitiers

Audrey Poussier

La première nuit dehors

l'école des loisirs
11, rue de Sèvres, Paris 6e

Ce matin, le soleil brille,
et Carla décide de partir en promenade.

«Je vais emporter tout ce qu'il faut pour passer une bonne journée», se dit-elle. «Un panier pour ramasser des fruits, une canne à pêche, une épuisette et des hameçons.»

«Un masque, un tuba, une serviette, un journal, des lunettes…
un bon pique-nique, de quoi faire du thé pour le goûter… et voilà, je suis prête.»

Mais, dès le premier pas, elle s'écroule.
« C'est trop lourd ! » gémit Carla. « Je n'y arriverai jamais… »

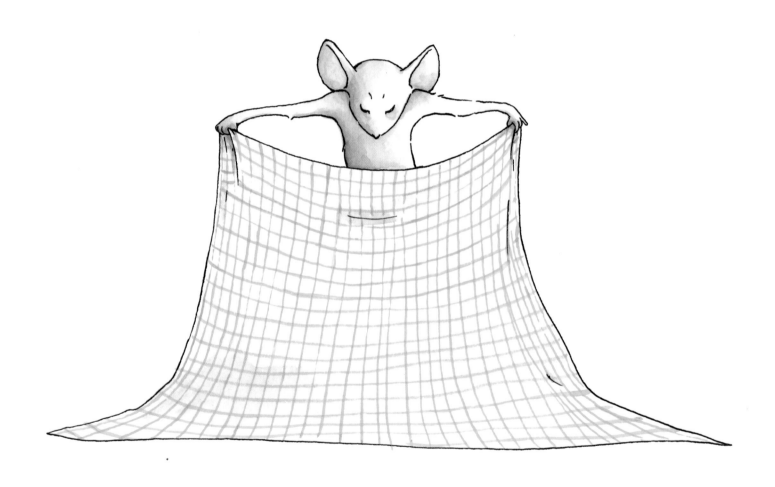

«Je sais, je vais pique-niquer maintenant!
Ça me donnera des forces et ce sera ça de moins à porter.»

«Ce pique-nique est vraiment délicieux», dit Carla.
«Mais ça manque peut-être d'une touche de sucré...»

Justement, c'est la saison des mûres.

« Si je faisais une confiture ? »
se dit Carla.

Avec son journal, elle allume un feu.

La théière fait
une parfaite casserole.

Mais, tout à coup,
des abeilles attaquent la casserole.

Des milliers d'abeilles !
« Au secours ! À moi ! » hurle Carla, « on veut me voler ma confiture ! »
Elle attrape la casserole, prend son masque, son tuba…

… et plonge dans le bac d'eau de la gouttière.
Les abeilles détestent être mouillées, alors elles renoncent
à la confiture.

Dans le bac, il y a quelqu'un que Carla n'avait jamais vu avant : un têtard.

«Ça fait longtemps que tu habites là ?» demande-t-elle.
Le têtard ne répond pas.
«Il doit être timide», pense Carla, «ou alors, il ne sait pas encore parler.
Il faut attendre qu'il devienne grenouille. Je vais le mettre dans mon masque,
ce sera sa maison.»

En attendant que le têtard devienne grenouille, Carla décide de l'apprivoiser. Elle l'appelle Hugues.
«Écoute bien, Hugues : moi c'est Carla, toi c'est Hugues. Maintenant répète : Car-la…»

Hugues ne répond pas ; ce n'est pas grave, Carla est patiente.
De toutes petites gouttes tombent dans la nouvelle maison de Hugues.
«Tiens, il pleut…» remarque Carla.

Il pleut de plus en plus fort.
«Ne bouge pas, je vais nous construire une cabane», dit-elle.

La pluie se transforme en orage.
« On est bien ici, hein Hugues ? Dehors c'est la tempête et nous on est au chaud. »

Carla et Hugues restent assis, sans rien dire, à écouter les grosses gouttes qui tombent sur le toit de la cabane.

Entre deux coups de tonnerre, on entend un tout petit grondement :
«Grrrrrrrrrrrr...» C'est le ventre de Carla qui gargouille.
Carla prépare deux tartines de confiture, une pour elle et une pour Hugues.
Mais les têtards ne mangent pas de tartines et Carla est obligée de les manger
toutes les deux.

La pluie s'est arrêtée.

«Oh, regarde ! On voit la lune ! Tu sais, je crois qu'on va passer la nuit ici.
Ça ne serait pas prudent de partir maintenant.»

«Si tu veux, j'accroche ta maison au-dessus de mon lit», dit Carla.
«Comme ça, on pourra se voir. Bonne nuit, Hugues.»
Hugues ne répond pas, mais c'est normal,
il a seulement appris les prénoms.
En s'endormant, Carla pense : «Quelle belle journée.»
Elle est heureuse, c'est la première fois qu'elle fait du camping
et Hugues aussi.

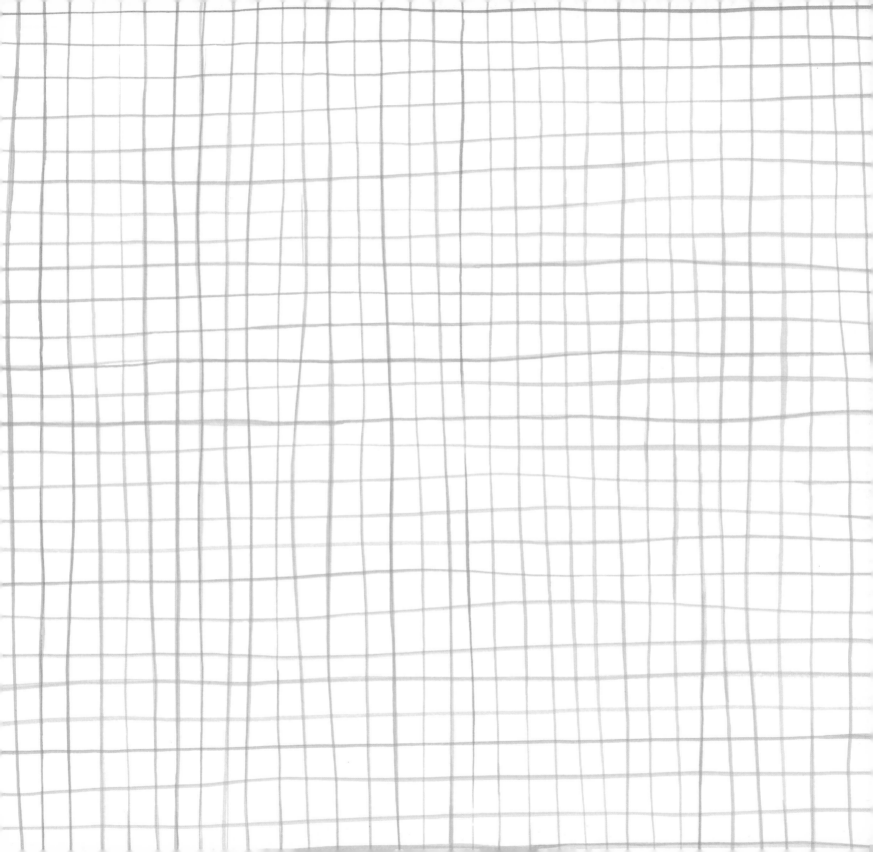